PAN PIERDZIOŁKA

SPADŁ ZE STOŁKA

ZYSK I S-KA
WYDAWNICTWO

powtarzanki i śpiewanki

ilustrowała Kasia Cerazy

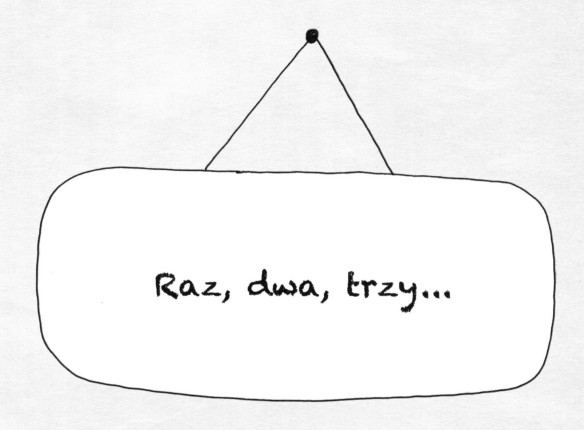

Raz, dwa, trzy,
Czarownica patrzy.
Cztery, pięć, sześć,
Chce nas wszystkich zjeść.
Siedem, osiem, dziewięć,
Wsadzi w smołę, w dziegieć.
Nim wszystkich pochwyta,
Umkniemy i kwita!

Jeden, dwa - Jacek ma
Trzy, cztery - smaczne sery,
Pięć, sześć - chciał je zjeść,
Siedem, osiem - spotkał Zosię,
Dziewięć, dziesięć - schował w kieszeń!

Jeden, dwa, jeden, dwa,
Pewna pani miała psa.
Trzy i cztery, trzy i cztery,
Pies ten dziwne miał maniery.
Pięć i sześć, pięć i sześć,
Pies ten lodów nie chciał jeść.
Siedem, osiem, siedem, osiem,
Wciąż o kości tylko prosił.
Dziewięć, dziesięć, dziewięć, dziesięć,
Kto te kości mu przyniesie?
Może Ty, może ja
Licz od nowa: jeden, dwa...

Zaszalały dwa kolesie,
mały Tadzio, duży Grzesiek.
Jak ten duży zarechotał,
to ten mały zagulgotał.
Jak ten duży butem trzasnął,
to ten mały z bólu wrzasnął.
Więc ten duży zachichotał,
mały już nie odgulgotał…

Auć!

W pokoiku na stoliku
Stało mleczko i jajeczko.
Przyszedł kotek, wypił mleczko,
A ogonkiem stłukł jajeczko.
Przyszła mama, kotka zbiła,
A skorupki wyrzuciła.
Przyszedł tata, kotka schował,
A mamusię pocałował.

Wlazł kotek na płotek i mruga.
Piękna to piosenka niedługa.
Niedługa, niekrótka, lecz w sam raz,
A ty mi ……… buzi dasz!

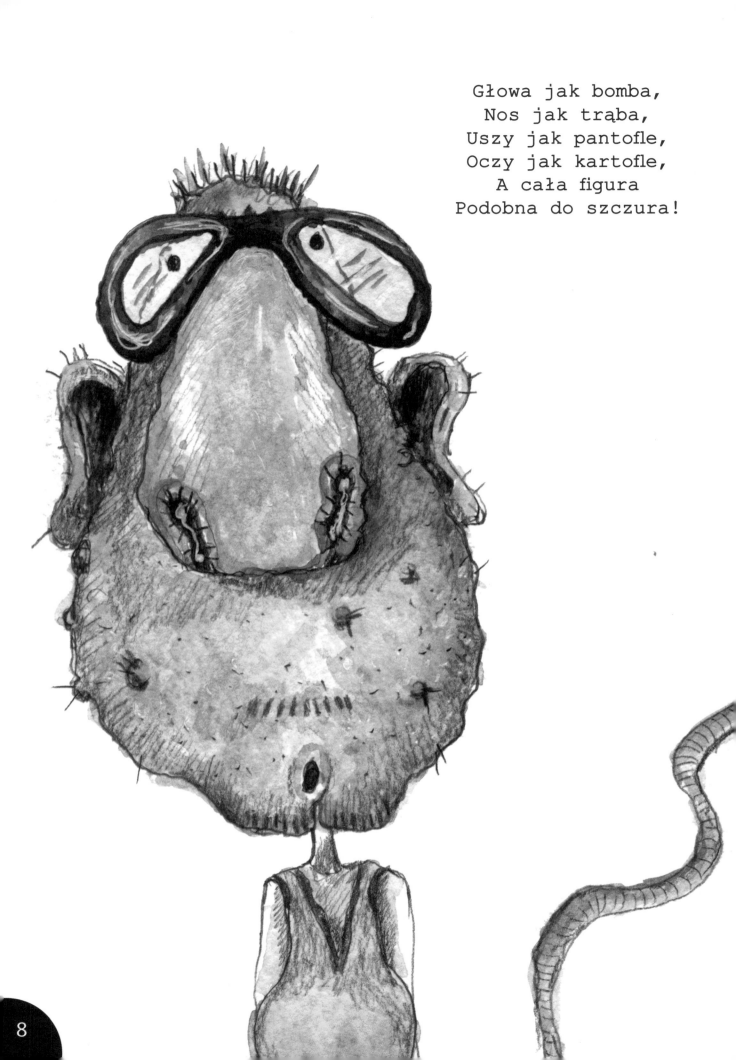

Głowa jak bomba,
Nos jak trąba,
Uszy jak pantofle,
Oczy jak kartofle,
A cała figura
Podobna do szczura!

Las i pole,
Dwa sobole,
Dwa okienka,
Góra,
Dziura,
A w tej dziurze
Mieszka pan.
„Bulbul, bulbul".

Hopa dana! hopa dana!
Siadła Mańka na barana,
A baranek hyc z wysoka,
Zrzucił Mańkę do potoka.

Komar śpiewa: Bzy! bzy! bzy!
A jaskółka: Gzy! gzy! gzy!
Bocian płacze: Kle! kle! kle!
Żabka skacze: Re! re! re!

Myszka mała, myszka biała
Do komina uciekała;
A ja za nią po drabinie,
Moja myszka już w kominie!

Lata mucha koło ucha,
Lata bąk koło rąk,
Lecą ważki koło paszki,
Lata pszczoła koło czoła,
Lata mucha koło brzucha,
Lecą muszki koło nóżki,
Biegną mrówki koło główki,
Pełznie gąsieniczka dokoła policzka.

W poniedziałek rano kosił ojciec siano,
Kosił ojciec, kosił ja, kosiliśmy obydwa.
A we wtorek rano grabił ojciec siano,
Grabił ojciec, grabił ja, grabiliśmy obydwa.
A we środę rano suszył ojciec siano,
Suszył ojciec, suszył ja, suszyliśmy obydwa.
A we czwartek rano przewracalim siano,
Robił ojciec, robił ja, robiliśmy obydwa.
A na piątek rano składał ojciec siano,
Składał ojciec, składał ja, składaliśmy obydwa.
A w sobotę rano zwoził ojciec siano,
Zwoził ojciec, zwoził ja, zwoziliśmy obydwa.
A w niedzielę rano krówki jadły siano,
Spoczął ojciec, spoczął ja, spoczęliśmy obydwa.

Kukułeczka kuka,
Hania Jasia szuka:
Znalazła go w lesie,
Śniadanko mu niesie.

Dudni woda dudni
W cembrowanej studni.
A dlaczego dudni?
Bo jest woda w studni.

Ele mele dutki,
Gospodarz malutki.
Gospodyni jeszcze mniejsza,
Ale za to zaradniejsza.

Kipi kasza,
Kipi groch.
Lepsza kasza niż ten groch.
Bo od grochu boli brzuch,
A od kaszy człowiek zdrów.

Kto się gniewa,
Niech się gniewa,
Niech se przypnie
Nos do drzewa.
Niech to drzewo
Dotąd nosi,
Aż się z nami
Nie przeprosi!

Na zielonej łące
Pasie pies zające,
Co się który ruszy,
Odgryzie mu uszy.

Ene due rabe,
Chińczyk złapał żabę,
A żaba Chińczyka,
Co z tego wynika:
Jabłko, gruszka czy pietruszka?

Baloniku nasz malutki,
Rośnij duży, okrąglutki.
Balon rośnie że aż strach,
Przebrał miarę, no i trach!

Idzie kominarz po drabinie,
Fiku-miku! i już w kominie!

Dylu, dylu, na badylu,
Kocurek na basie.
Koteczka mu się dziwuje,
Że na graniu zna się.

17

Siała baba mak,
Nie wiedziała jak,
A dziad wiedział,
Nie powiedział,
A to było tak...

Kosi, kosi, kosiany,
Dobry placek owsiany.
Jeszcze lepsza kukiełka,
Jak dołożysz masełka.
Kosi, kosi, kosiane,
Dobre jabłko rumiane,
Dobra także i gruszka,
Kiedy wpadnie do brzuszka.

Kółko graniaste,
Czworokanciaste,
Kółko nam się połamało,
Cztery grosze kosztowało,
A my wszyscy bęc!

Wiedzą-ci o tem wróble w stodole,
Że u złośnika szyszki na czole.
Szyszki na nosie, szyszki na brodzie,
Na kogo spojrzy, to go pobodzie.

Idzie misiu z daleka
Do małego człowieka.
Idzie wyżej, idzie niżej,
Idzie dalej, idzie bliżej,
Do noska, do uszka,
Do rączki, do brzuszka.
Idzie, idzie z daleka
I łaps za nóżkę człowieka.

Idzie lisek koło drogi,
Cichuteńko stawia nogi,
Nic nikomu nie powiada,
Do kurnika się zakrada.

Miała baba koguta,
Wsadziła go do buta, siedź!
— O mój miły kogucie,
Jakże ci tam w tym bucie jest?
Miała baba indora,
Wsadziła go do wora, siedź!
— O mój miły indorze,
Jakże ci tam w tym worze jest?
Miała baba kokoszkę,
Wsadziła ją w pończoszkę, siedź!
- Moja miła kokoszko,
Jakże ci tam w pończoszce jest?

Idzie rak, nieborak,
Jak uszczypnie, będzie znak!

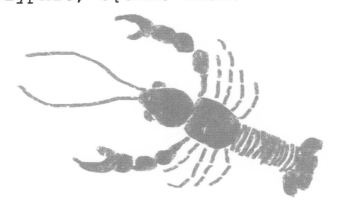

Maszerują dzieci drogą, raz, dwa, trzy!
Lewą nogą, prawą nogą, raz, dwa, trzy!
A nad drogą słonko świeci
I uśmiecha się do dzieci, raz, dwa, trzy!
Maszerują dzieci drogą, raz, dwa, trzy!
Lewą nogą, prawą nogą, raz, dwa, trzy!
Naprzód zuchy, naprzód śmiało,
Będzie przygód tu nie mało.
Raz, dwa, raz, dwa, trzy!

Na wysokiej górze rosło drzewo DUŻE,
Nazywało się APLI PAPLI BLITEM BLAU.
A kto tego nie wypowie, będzie w kącie stał.

Ele mele –
Zjedz morele.
Bango, bango –
Wcinaj mango.
Pomarańcza z marakują
Do zabawy się szykują.
Pomarańcza, trzy banany,
Będzie ubaw niesłychany!

Entliczek, pentliczek,
Czerwony stoliczek,
Na kogo wypadnie,
Na tego bęc.

Jedzie pociąg z daleka,
Na nikogo nie czeka.
- Konduktorze łaskawy,
Zabierz nas do Warszawy!
- Trudno, trudno to będzie,
Dużo osób jest wszędzie.
- Pięknie pana prosimy,
Jeszcze miejsca widzimy.
- A więc prędko wsiadajcie,
do Warszawy ruszajcie.

Jabłuszko rumiane,
Jak ja cię dostanę,
Jedno mi zleciało,
Lecz to dla mnie mało.
Oj dana!
Ale wiem, co zrobię,
Drugie poślę tobie,
Jak się namówicie,
Oba wraz zlecicie.
Oj dana!

Idzie jeż, mały jeż,
Może ciebie pokłuć też!
Pełznie wąż, śliski wąż,
I łaskocze ciebie wciąż!
Idzie słoń, ciężki słoń,
I nadepnie ci na dłoń!

Mam chusteczkę haftowaną,
Co ma cztery rogi,
Kogo kocham, kogo lubię,
Rzucę mu pod nogi.
Tego kocham, tego lubię,
Tego pocałuję,
A chusteczkę haftowaną
Tobie podaruję!

Pod zielonym sadem
Siedzą babcia z dziadem
I zbierają gruszki
Siwiutkie staruszki.

Lata ptaszek po ulicy,
Szuka sobie ziarn pszenicy,
A ja sobie stoję w kole
I wybieram, kogo wolę.

Sroczka kaszkę warzyła,
Dzieci swoje karmiła.
Temu dała – na łyżeczce.
Temu dała – na miseczce.
Temu dała – na spodeczku.
Temu dała w garnuszeczku.
A dla tego? Nic nie miała!
Frrr!!! Po więcej poleciała.

Trumf, trumf Misia Bela
Misia Kasia Konfacela
Misia A Misia Be
Misia Kasia Kon-fa-ce.

— Kiciu, kiciu, kiciu miła,
Powiedz, kiciu, gdzieś ty była?
— Miau, miau, w ogródeczku,
Miau, miau, przy pieseczku.
— Kiciu, kiciu, kiciu miła,
Gdzieś ty bródkę umoczyła?
— Miau, miau, w komóreczce,
Miau, miau, na półeczce.
— Toś ty mleko piła z miski?
A psik, kiciu, idź na myszki!

Tere fere kuku,
Strzela baba z łuku.
Zestrzeliła księżyc z nieba,
Narobiła huku.

Było morze, w morzu kołek,
A na kołku był wierzchołek,
Na wierzchołku siedział zając
I nogami przebierając, śpiewał tak:
Było morze, w morzu kołek...

Raz, dwa, trzy, na me wezwanie,
A za czwartym niech się stanie,
A za piątym niech tu będzie,
A za szóstym huknie wszędzie!

Palec pod budkę, bo za minutkę
Budka się zamyka, gości nie przymyka.
Poniedziałek, wtorek, środa, czwartek, piątek,
sobota, niedziela -
Budka się otwiera...

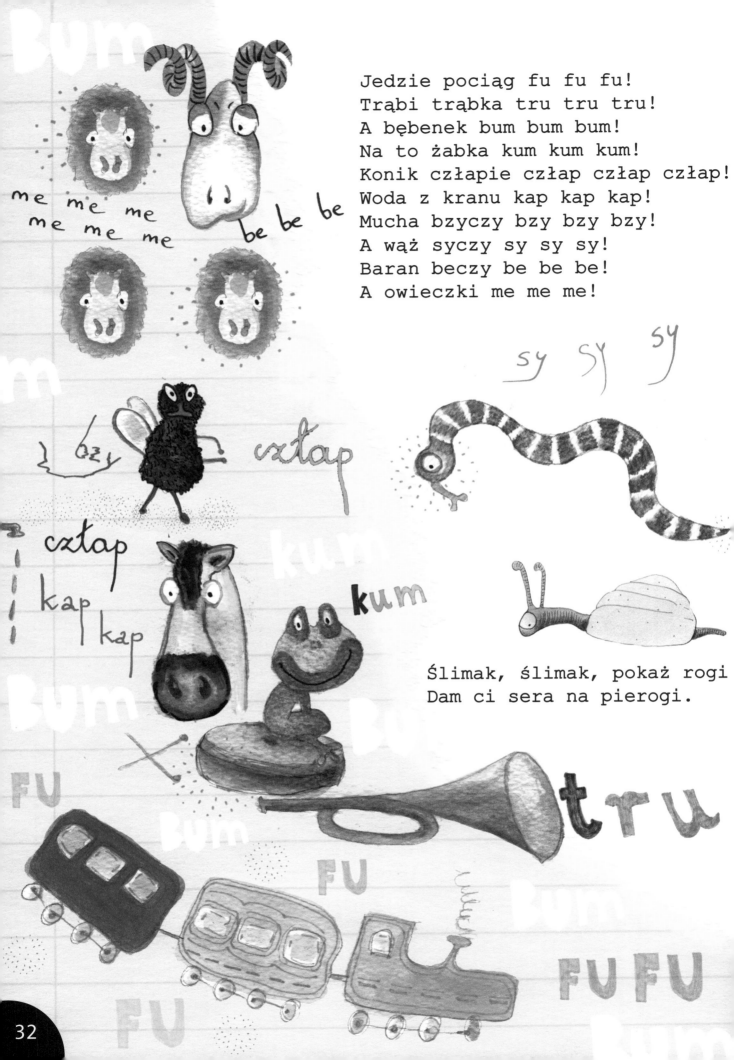

Jedzie pociąg fu fu fu!
Trąbi trąbka tru tru tru!
A bębenek bum bum bum!
Na to żabka kum kum kum!
Konik człapie człap człap człap!
Woda z kranu kap kap kap!
Mucha bzyczy bzy bzy bzy!
A wąż syczy sy sy sy!
Baran beczy be be be!
A owieczki me me me!

Ślimak, ślimak, pokaż rogi
Dam ci sera na pierogi.

Myszka, myszka
Poszła do laska,
Złapała ptaszka,
Wyniosła na stryszek,
Zwołała dużo myszek.
Wszystkim go pokazała
I sama go schrupała.

Jedzie, jedzie pan, pan,
Na koniku sam, sam.
Za nim jedzie chłop, chłop,
Na koniku hop! hop!
Jedzie, jedzie ba-ba
I z konika spa-da!

Fiku – miku.
Wyliczanki niegrzeczne

Deszczyk kropi, słońce świeci,
Baba-Jędza masło kleci.
A bodaj go nie skleciła,
Świnkom za płot wyrzuciła!

Pan Pierdziołka spadł ze stołka,
Złamał nogę o podłogę.
Olaboga - moja noga!
Kupcie trumnę, bo ja umrę!
Jeszcze trumna nie kupiona,
A już noga wygojona.

PAN PIERDZIOŁKA

— Uciekajcie, dzieci,
Rózga na was leci!
Rózga izbę przeleciała,
Nigdzie dzieci nie widziała.
Okieneczkiem wyskoczyła,
Dzieci naszych nie wybiła.

W małym mieszkanku, na Mariensztacie,
Mieszkała sobie rodzinka,
Ojciec i matka, dwie stare ciotki,
Mieli malutkiego synka.
Ojca powiesił na kalesonach,
Matkę utopił w klozecie,
Dwie stare ciotki, nabił na szczotki
I powyrzucał na śmiecie.
Przyszła policja zbója zabrała
I przywiązała do słupa,
Dwa strzały padły,
Majtki opadły i pokazała się…
W małym mieszkanku, na Mariensztacie…

Napił się dziadek ciepłego winka
I gonił babcię wkoło kominka.
Babusia rada rączkami klaszcze:
— Gońże mnie, dziadku, gońże mnie jeszcze!

Wpadł pies do kuchni i porwał mięsa ćwierć,
A jeden kucharz głupi zarąbał go na śmierć.
A drugi kucharz mądry, co litość w sercu miał,
Postawił mu nagrobek
I taki napis dał:
Wpadł pies…

Jacek placek na oleju,
Matka krzyczy: ty, złodzieju!
Jacek placek na śmietanie,
Matka woła: ty bałwanie!

Jedziemy na wycieczkę,
Bierzemy misia w teczkę,
A misiu fiku-miku,
Narobił w teczkę siku.

Siedzi baba na cmentarzu,
Trzyma nogi w kałamarzu.
Przyszedł duch - babę w brzuch,
Baba fik, a duch znikł.

Opowiem ci bajkę, jak kot kurzył fajkę,
A kocica papierosa, upaliła kawał nosa.
Prędko, prędko po doktora, bo kocica bardzo chora.
A doktor był pijany,
Przylepił się do ściany,
A ściana była mokra,
Przylepił się do okna,
A okno było duże,
Wypadł na podwórze.
W podwórzu były dzieci,
Rzuciły go do śmieci,
W śmieciach były koty,
Podarły mu galoty.

Pałka, zapałka, dwa kije,
Kto się nie schowa, ten kryje!

Bierzemy muchy w paluchy,
Robimy z muchy placuchy,
Kładziemy placuchy na blachy
I mamy radochy po pachy!

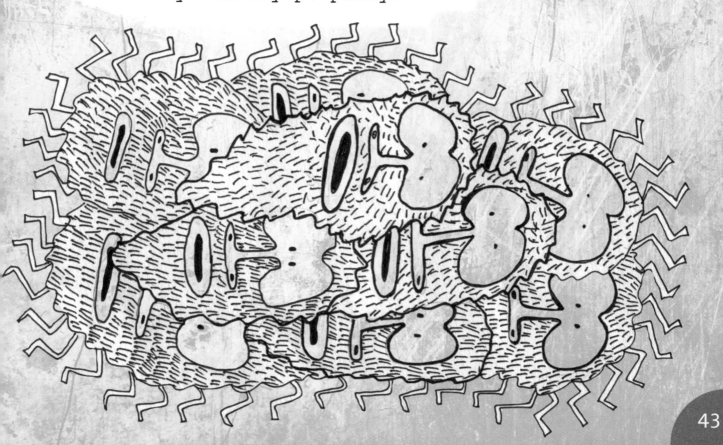

Jurek, ogórek,
Kiszka i sznurek.
Kiszka uciekła,
a Jurek do piekła.

Cisza na morzu, wicher dmie,
Za chwilę bałwan odezwie się.
A tym bałwanem będzie ten,
Kto pierwszy odezwie się.

Skarżypyta bez kopyta,
język lata jak łopata.

Szły pchły koło wody,
Pchła pchłę pchła do wody,
A ta pchła płakała,
Że ją tamta pchła popchała.

45

Beksa-lala,
Pojechała do szpitala,
A w szpitalu powiedzieli,
Takiej beksy nie widzieli.

Bury, wióry, czarne chmury,
Porwał rower kundel bury!
Bajka, fajka, gadka, szmatka,
Tak przezywał wnuczek dziadka!

Copyright © by Zysk i S-ka Wydawnictwo s.j.,
Poznań 2012, 2015

Ilustracje na okładce
Katarzyna Cerazy

Wybór i opieka redakcyjna
Tadeusz Zysk
Jan Grzegorczyk
Katarzyna Lajborek-Jarysz

Rymowanka Jana Grzegorczyka „Zaszalały dwa kolesie…" (s. 6)
Rymowanka według Oskara Kolberga „Wlazł kotek…" (s. 7)
Rymowanka Tadeusza Kubiaka „Kipi kasza…" (s. 14)
Rymowanki Zofii Rogoszówny: „Głowa jak bomba…" (s. 8),
„W poniedziałek rano…" (s. 12), „Jabłuszko rumiane…" (s. 25),
„Pod zielonym sadem…" (s. 27), „Sroczka kaszkę ważyła…" (s. 28),
„Myszka, myszka…" (s. 33)

Opracowanie techniczne
Barbara i Przemysław Kida

ISBN 978-83-7785-358-0

Zysk i S-ka Wydawnictwo
ul. Wielka 10, 61-774 Poznań
tel. 61 853 27 51, 61 853 27 67, faks 61 852 63 26
dział handlowy, tel./faks 61 855 06 90
sklep@zysk.com.pl
www.zysk.com.pl

Wydrukowano na Amber Graphic 140 g/m²

www.arcticpaper.com

Druk